Is sem er?

Anneke Scholtens
tekeningen van Pauline Oud

   Zwijsen

pim

ik ben pim.
ik eet een reep.
een reep met een noot.

ik ben sip.
ik mis sem!
ik neem een peer.
een peer voor sem.

ik neem een mes.
een mes voor een peer.
ik ren naar sem.
is sem er?

is er een oog?
is er een neus?
nee, er is een .
oo, sem is naar mees.

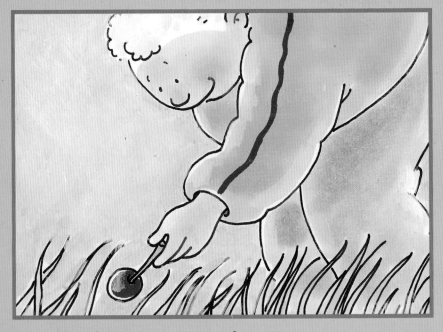

sem is naar mees!
en mees is ... ?
mees is in een boom!
ik raap een bes.

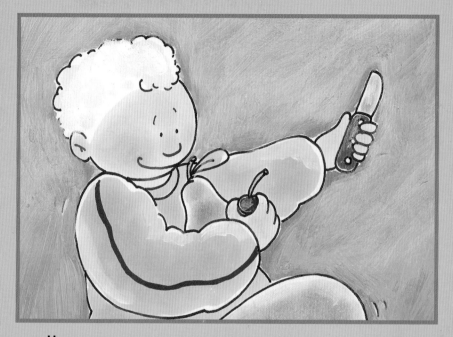

ik ren naar mees.
met een peer voor sem.
en met een mes.
en met een bes voor mees.

is mees er?
is er een oog?
is er een buik?
is er een veer?

nee!
er is een .
aan een pin.
oo, mees is naar vis!

en sem?
sem! sem!
is sem naar vis?
vis is in een meer!

er is een veer ...
en een veer ...
en een veer ...
en een meer!

ik ren en … ik rem!
er is een peer voor sem.
er is een bes voor mees.
maar voor vis …

vis eet aas.
ik neem aas mee.
ik ren.
sem! mees!

sem! mees!
pim! pim!
een naar net!
een net aan een boot.

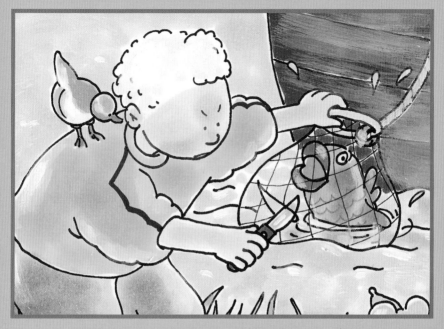

vis is sip.
ik ben boos.
ik neem een mes.
rrr!

vis eet aas.
mees eet een bes.
sem eet een peer.

en ik?
ik neem een reep.
een reep met een noot.
mmm!

Serie 3 • bij kern 3 van Veilig leren lezen

Na 7 weken leesonderwijs:

1. sep is boos
Frank Smulders en
Leo Timmers

2. een roos voor toos
Marianne Busser &
Ron Schröder en
Marjolein Pottie

3. ris, ris!
Maria van Eeden en
Jan Jutte

4. is sem er?
Anneke Scholtens en
Pauline Oud

5. ik tem een beer
Annemarie Bon en
Tineke Meirink

6. een vis met een pet
Anke de Vries en
Camila Fialkowski

7. sok aan, moos!
Daniëlle Schothorst

8. saar en toon
Stefan Boonen en
An Candaele